LA CARAPACE DE TORTUE

Vous aimez les livres de la série

LES AVENTURES DE
JACKIE ⬡ CHAN

Écrivez-nous pour nous faire partager
votre enthousiasme :

Pocket Jeunesse - 12, avenue d'Italie - 75013 Paris

LES AVENTURES DE JACKIE CHAN

La carapace
de tortue

Une novélisation de R.S. ASHBY
d'après le dessin animé « La carapace de tortue »
écrit par Duane CAPIZZI

*Traduit de l'américain
par Christine Bouchareine*

POCKET
jeunesse

Titre original :
A New Enemy

Publié pour la première fois en 2002
par Grosset & Dunlap, un département de
Penguin Putnam for Young Readers, New York.

Loi n° 49-956 du 16 juillet 1949 sur les publications
destinées à la jeunesse : juin 2003.

Droits pour la traduction française et la présente édition,
Pocket Jeunesse, département d'Univers Poche.

ISBN 2-266-13168-0

Tu aimes le karaté ?
Tu as envie de lire des exploits incroyables ?
Alors, dévore

LES AVENTURES DE
JACKIE CHAN

Bonjour ! Je m'appelle Jackie. Je suis archéologue et j'adore l'aventure. Je recherche les trésors anciens et je les étudie afin de comprendre comment les gens vivaient autrefois.

Tout a commencé le jour où j'ai découvert en Bavière un bouclier d'or. En son centre était enchâssée une pierre octogonale dotée de pouvoirs magiques. C'était un talisman !

D'après la légende, douze talismans seraient dispersés aux quatre coins de la planète. Chacun porte le dessin d'un animal et exerce un charme particulier.

Celui qui parviendra à réunir les douze talismans détiendra un pouvoir inimaginable !

Or, la Main Noire, une organisation criminelle, veut s'en emparer pour dominer le monde !

Aussi ai-je pour mission de les trouver avant elle.

Je détiens déjà quatre talismans, gardés en lieu sûr. Et je sais où se trouve le cinquième. Je l'ai vu à la télévision.

Le problème, c'est que la Main Noire l'a repéré, elle aussi…

Chapitre 1

— Leçon numéro un, dit Jackie Chan. Respirer à fond.

— Ça, je sais déjà le faire, protesta Jade, sa nièce de onze ans. Si tu m'apprenais plutôt à fendre des planches du tranchant de la main?

— Patience, Jade, répondit-il en se remettant en position d'attaque.

La fillette soupira. Depuis une heure, ils répétaient le même exercice. Elle n'avait plus un atome de patience! Néanmoins elle obéit.

— Ton corps se remplit d'oxygène, tu le sens arriver jusqu'au bout de tes doigts. Puis il descend dans tes pieds.

— Et ils sautent au nez du méchant ! Yahah !

Jade décocha un coup de pied à un attaquant imaginaire.

Jackie croisa les bras et fronça les sourcils.

— Alors qu'est-ce que t'en dis ? demanda-t-elle d'une voix innocente. Bien joué, non ?

— Tu manques de discipline, Jade.

— Mais je veux devenir une dure de dure, une vraie Jackie Chan !

— Ne sois pas si pressée. Tu connais le dicton : « Qui va lentement va sûrement. »

— Encore un proverbe chinois ! soupira-t-elle en levant les yeux au ciel.

— Non, celui-là est grec. Il est tiré d'une vieille fable qui s'appelle *Le lièvre et la tortue*. C'est l'histoire d'un…

Il s'interrompit en voyant Jade quitter la pièce.

— Où vas-tu ?

— Petit-déjeuner. À plus tard !

Jade sortit de l'appartement qu'elle occupait avec Jackie, au quartier général souterrain de la Section Treize, une police parallèle qui luttait contre la grande criminalité. Jackie avait encore huit talismans chinois à retrouver avant la Main Noire.

Jade traversa une passerelle qui surplombait une salle immense, où s'affairaient des centaines d'agents secrets. Elle arriva à la cuisine et aperçut une boîte de beignets sur la table.

— Miam-miam !

Elle en prit un, se laissa tomber sur une chaise et leva la tête vers la télévision fixée au mur. C'était l'heure des informations. On voyait une énorme tortue sur l'écran.

— Elle s'appelle Ésope, disait le journaliste. C'est la nouvelle vedette de l'aquarium. Et cette tortue a une particularité, continua-t-il. Elle possède un curieux objet incrusté dans sa carapace.

La caméra fit un gros plan sur une pierre octogonale qui portait le dessin d'un lièvre rose.

C'était un talisman ! Jade bondit.

— Jackiiiie !

Il accourut.

— Quoi ? Que se passe-t-il ? hurla-t-il, affolé.

— J'ai vu un talisman ! Sur le dos d'une grosse tortue de l'aquarium. Il avait de grandes oreilles, comme un lapin.

Jackie réfléchit quelques secondes.

— Il y a effectivement un lièvre dans le zodiaque chinois. Je vais aller voir ça de plus près.

— Super ! s'exclama Jade.

— Pendant que tu seras à l'école, précisa-t-il.

— Oh !

Elle en avait assez ! Jackie ne voulait jamais qu'elle l'aide dans ses missions. Il la trouvait trop jeune.

« J'irai quand même à l'aquarium, décida-t-elle. Jackie aura besoin de moi, je le sais ! »

Jade n'était pas la seule à regarder la télévision à ce moment-là.

Finn, l'un des hommes de la Main Noire, zappait d'une chaîne à l'autre, tout en s'empiffrant de céréales, vautré sur un canapé.

Un homme blond, au regard bleu glacial et coiffé d'une queue-de-cheval, arriva derrière lui. C'était Valmont, le chef de la Main Noire. Il regarda Finn d'un air dégoûté. « Qu'ai-je fait pour diriger de tels paresseux ? se demanda-t-il. Ils ne méritent pas l'argent que je leur donne ! »

Il vit défiler sur l'écran un jeu télévisé… une publicité pour de la limonade… un reportage sur une tortue avec une pierre incrustée dans sa carapace… un dessin animé…

— Arrête ! cria-t-il.

Finn sursauta et renversa son bol.

— Ahhhh ! Je suis désolé… Je… je ne vous avais pas vu, monsieur Valmont !

— Reviens sur le programme précédent.

Finn appuya sur le bouton de la télécommande. La tortue réapparut à l'écran.

Un sourire diabolique se dessina sur les lèvres de Valmont. Maintenant il savait où trouver le talisman du lièvre. Et celui-là, il l'aurait !

Chapitre 2

Jackie se rendit l'après-midi même à l'aquarium pour voir Ésope, la tortue géante. Elle était installée sur une petite île sablonneuse, couverte d'arbres et de végétation, au milieu d'un bassin. Jackie traversa le pont afin de rejoindre les deux experts qui l'examinaient.

— Bonjour. Je m'appelle Jackie Chan, se présenta-t-il en leur serrant la main. Je suis archéologue. J'aurais aimé jeter un coup d'œil à la pierre qui est incrustée dans la carapace d'Ésope.

— Je vous en prie, dit l'un des savants.

— Merci.

Jackie s'accroupit et étudia la pierre octogonale. Un lièvre rose y était dessiné.

— Le talisman du lièvre ! murmura Jackie.

— Nous ne savons pas encore de quoi il s'agit, dit l'un des hommes. Mais une chose est sûre : la tortue ne semble pas en souffrir.

— Mademoiselle, cette zone est interdite au public ! cria alors son collègue.

« Mademoiselle » ? Jackie se retourna en poussant un soupir.

C'était Jade. Elle le salua d'un geste de la main.

Comment était-elle venue jusqu'ici ?

— Tu devais rester à la maison et faire tes devoirs ! la gronda-t-il.

— Justement, je travaille ! J'ai décidé de faire un exposé sur Ésope. Et de t'aider, par la même occasion, ajouta-t-elle avec un sourire.

Jackie s'approcha d'elle et soupira.

— Tu avais raison. Il y a bien un talisman sur le dos de la tortue. Mais si tu l'as vu à la télé, les hommes de la Main Noire ont dû le voir, eux aussi. Et ils ne tarderont pas à rappliquer.

Jade haussa un sourcil.

— Tu rigoles ? Tu crois que les méchants n'ont que ça à faire, regarder…

BOUM ! Un énorme trou se creusa dans le mur d'enceinte de l'aquarium.

— … la télé ? acheva Jade d'une petite voix.

Finn s'engouffra dans l'ouverture, bientôt suivi par son acolyte, Ratso.

— Partez vite ! cria Jackie aux savants. Et emmenez ma nièce.

Pendant que les deux experts entraînaient Jade vers un bâtiment voisin, Jackie se pencha pour enlever le talisman de la carapace d'Ésope. Il devait le prendre avant la Main Noire !

Une grande ombre l'enveloppa. Il leva les yeux.

C'était Tohru, l'exécuteur de la Main Noire, un hercule plus fort que dix hommes réunis.

— Oh, oh ! dit Jackie.

Tohru le souleva comme une plume et le lança derrière lui.

Après un superbe vol plané, Jackie atterrit à plat ventre dans le sable.

— Bon, assez joué, dit-il en se relevant.

Finn et Ratso fonçaient déjà sur lui. Il empoigna deux seaux remplis de poissons et en coiffa les voyous avant de les pousser dans l'eau.

Il pirouetta ensuite pour s'attaquer à Tohru. Mais le colosse l'attrapa par sa chemise et le jeta dans l'aquarium à son tour !

Jackie ouvrit les yeux sous l'eau. Finn et Ratso venaient vers lui. Soudain, il les vit repartir précipitamment dans la direction opposée.

Tiens ! Pourquoi s'enfuyaient-ils ?

Jackie se retourna. Pigé !

Un requin nageait droit sur lui !

Chapitre 3

Le requin ouvrait une bouche immense hérissée de dents acérées.

Une fois remis de sa frayeur, Jackie lui sauta sur le dos.

Le requin se tordit dans tous les sens, mais Jackie se cramponnait ferme. Alors la dangereuse créature fila vers la surface et l'expulsa de l'aquarium d'un coup de queue.

Jackie fendit les airs tel un missile avant de s'écraser sur le sol.

— Ahhhh !

Soudain Jade ressortit à toutes jambes du bâtiment.

— Jackie ! Il faut sauver Ésope !

Jackie vit Tohru ramasser la tortue géante et disparaître par la brèche du mur, suivi de Finn et de Ratso. Il aperçut derrière eux un hydravion, posé sur l'eau, au bout d'un ponton. Ils allaient lui échapper !

Il se précipita à leur poursuite. Trop tard ! Tohru, Finn et Ratso s'engouffrèrent dans l'appareil, le moteur se mit à rugir et ils décollèrent.

— Le talisman du lièvre ! s'écria Jackie. La Main Noire emporte le talisman du lièvre !

Chapitre 4

— Qu'est-ce qu'on fait ? demanda Jade alors que Jackie et elle quittaient l'aquarium.

— Nous devons retrouver les hommes de la Main Noire.

Un taxi jaune s'arrêta à leur hauteur.

— Vite, monte ! ordonna Jackie.

Jade sauta dans la voiture. Mais au lieu de la suivre, Jackie claqua la portière derrière elle. Et le taxi démarra en trombe sans lui.

— Hé ! Que se passe-t-il ?

Jade se retourna et aperçut un vieil homme avec de minuscules lunettes assis à côté d'elle. C'était l'oncle Chan.

— Oh, non !

Elle croisa les bras sur sa poitrine. Jackie l'avait bien eue ! Il avait appelé l'oncle en douce afin qu'il la ramène à la maison. Ce n'était pas juste !

— Alors, Jade, c'était bien, l'école ? s'enquit l'oncle Chan.

— Super cool ! grommela-t-elle en se tassant sur son siège.

— Je n'ai pas fini, continua l'oncle Chan. Jackie a-t-il trouvé le talisman du lièvre ? Sait-il quel est son pouvoir ?

Jade eut soudain une idée. Si elle effrayait son oncle, peut-être arriverait-elle à se débarrasser de lui ? Elle sourit. Elle savait ce qu'il craignait le plus : les esprits du mal.

— Je ne suis pas Jade, déclara-t-elle d'une voix grave en levant les mains d'un air menaçant. Je suis un esprit du mal. Je suis Jeannot Lapin, prince du royaume des lièvres !

L'oncle la dévisagea, les yeux écarquillés de terreur.

« Ça marche ! » jubila Jade.

— Laissez-moi partir, poursuivit-elle en montrant le blanc de ses yeux et en agitant les doigts au-dessus de sa tête. Libérez-moi sur-le-champ !

— Arrêtez ! cria l'oncle au chauffeur.

Celui-ci pila net dans un crissement de pneus. L'oncle ouvrit la portière et Jade bondit sur le trottoir. Le taxi redémarra aussitôt.

— Bon sang, ça fait mal à la gorge de parler comme un démon ! dit la fillette en toussant. Enfin, me voilà débarras-sée de l'oncle Chan. Je peux voler au secours de Jackie.

Au quartier général de la Main Noire, Valmont faisait les cent pas devant la grande statue de dragon qui abritait l'esprit maléfique de Shendu, le véri-table chef de l'organisation criminelle.

Si Shendu réussissait à réunir les douze talismans, son esprit pourrait s'échapper de la statue et contrôler le monde !

— Vous savez, Shendu, disait Val-mont, rechercher les talismans me coûte une fortune. Pourrais-je avoir une avance ? Ce serait normal, non ?

Les yeux de Shendu luisirent d'un éclat rouge.

— Trouve-moi les douze talismans et je te couvrirai de richesses.

— Et d'où les sortirez-vous ? demanda Valmont avec un vilain rictus. Du fameux trésor perdu dont vous nous rebattez les oreilles ? Nous ne savons même pas s'il existe !

— Tu n'y crois pas ?

Un ninja, vêtu de noir, se coula silencieusement hors de l'obscurité. C'était un combattant de l'Armée des ombres, les soldats de Shendu. Il tenait une superbe coupe chinoise qui ruisselait d'or et de pierres précieuses.

Valmont se jeta dessus. Mais dès qu'il la toucha, elle se volatilisa.

— Patience, Valmont, murmura l'esprit maléfique. N'oublie pas : « Qui va lentement va sûrement ! »

— Mais, Shendu...

Valmont fut alors interrompu par l'arrivée de Finn, Tohru et Ratso.

— Monsieur Valmont, nous tenons le talisman du lièvre ! annonça victorieusement Finn. Et nous avons aussi la tortue.

— Que devons-nous faire maintenant ? demanda Tohru.

Valmont se caressa le menton. Il pourrait gagner de l'argent avec cette tortue.

— Débrouillez-vous pour enlever le talisman de sa carapace. Ensuite, vous irez faire un tour sur les quais. Je connais quelqu'un qui donnerait cher pour posséder notre amie en voie de disparition.

Quelques heures plus tard, Jackie Chan repéra enfin Tohru, Finn et Ratso. Ils attendaient sur le ponton, devant leur hydravion, Ésope à leurs pieds.

Jackie s'approcha en se dissimulant derrière des caisses.

— Je crois que nous ne sommes pas de force, souffla une petite voix derrière lui.

Il se retourna en étouffant un cri. Il saisit Jade et l'attira dans l'ombre.

— Comment es-tu arrivée ici ? Tu n'avais pas un exposé à rédiger ?

— Justement, j'ai besoin d'observer la tortue, dit-elle en montrant Ésope.

— Bon, alors reste à l'abri. Et plus un bruit !

Ils entendirent le vrombissement d'un moteur. Un énorme bateau se rangea le long du quai.

Un homme pâle avec une barbe noire apparut sur le pont. Il sauta à terre et salua les hommes de la Main Noire.

— Vous êtes Carl Nivor? demanda Finn.

— Oui, confirma l'homme en souriant.

Jackie le dévisagea. Son sourire lui fit froid dans le dos.

— Quel horrible bonhomme! s'exclama Jade. Qui est-ce?

— Chut!

Nivor montra Ésope.

— Voilà sans doute la tortue dont Valmont m'a parlé.

— En effet, répondit Tohru. Maintenant, payez-nous.

Nivor claqua dans ses doigts.

— Boris!

Un petit homme descendit la passe-relle. Il tenait une mallette ouverte rem-plie de billets. Il la donna à Tohru.

— Puis-je vous inviter à dîner ? pro-posa Nivor. Nous avons de la soupe de tortue au menu.

— Beurk ! dit Jade. Il va manger de la tortue !

— Pire que ça, corrigea Jackie. Il va manger Ésope !

Chapitre 5

— **N**ous devons sauver Ésope ! cria Jade.

— Chut !

Jackie essayait d'entendre la suite de la conversation.

Tohru désigna un petit disque de pierre.

— Nous ne pouvons pas rester. Nous devons livrer cet objet à Valmont.

— C'est le talisman ! chuchota Jackie en regardant les agents de la Main Noire

se diriger vers l'hydravion. Attends-moi
là.

Jade le retint par ses vêtements.

— Jackie ! Que comptes-tu faire ?

— Reprendre le talisman.

— Il est hors de question de laisser
tomber Ésope ! gémit-elle. Elle finira
en potage si nous l'abandonnons.

— Jade, nous ignorons quels sont les
pouvoirs de ce talisman. Si la Main
Noire l'a en sa possession, de nom-
breuses vies seront en danger.

— Mais comment récupérer le talisman et sauver Ésope ? C'est impossible !

— Pas du tout. Souviens-toi : « Qui
va lentement va sûrement. »

— Chan ! s'exclama quelqu'un derrière lui. Je savais bien que cette voix
m'était familière !

Jackie se retourna d'un bond. C'était Tohru. Pris dans le feu de la discussion, Jackie n'avait pas vu les agents de la Main Noire s'approcher d'eux sans bruit.

Il mit Jade hors d'atteinte des malfaiteurs, la propulsant sur le sommet des caisses.

Sans attendre, Ratso se jeta sur le jeune homme. Jackie l'évita, puis l'empoigna et le renversa sur le quai.

Ratso leva aussitôt les mains en signe de capitulation.

— L'oncle ! s'écria-t-il.

Jackie regarda autour de lui sans comprendre.

— Où ça ?

— Jackie, ils s'enfuient ! hurla Jade.

Broummmm ! Jackie entendit rugir le

moteur de l'hydravion et aperçut Ratso et Tohru en train de courir vers l'appareil.

Il s'élança à leur poursuite et bondit au-dessus de la porte de l'avion, juste au moment où Tohru se penchait pour la refermer. Il lui arracha le talisman et voulut alors sauter sur le quai, mais le géant l'attrapa par la cheville.

— Aïe !

Jackie s'étala de tout son long et lâcha le talisman qui roula sur le ponton.

Tohru le ramassa.

— Gare à toi ! brailla Jackie. Le talisman va te transformer en lapin en chocolat !

Tohru observa la pierre. Soudain, un éclair jaillit de la main du géant !

« Oh, oh ! pensa Jackie. Le talisman s'est activé. Que va-t-il se passer ? »

Chapitre 6

La réponse ne se fit pas attendre. En un clin d'œil, Tohru avait disparu !

Jackie cligna des paupières. Tiens ! Il croyait que c'était le talisman du serpent qui rendait les gens invisibles.

Flash ! Tohru réapparut. Mais à l'autre bout du quai !

— Comment es-tu arrivé là-bas si vite ? cria Jackie.

Flash ! Tohru disparut encore.

Une seconde plus tard, Jackie sentit qu'on lui tapotait l'épaule. Il pivota sur lui-même. C'était Tohru ! Comment faisait-il pour se déplacer d'un point à un autre à la vitesse de l'éclair ?

La lumière se fit soudain dans l'esprit de Jackie : c'était grâce au talisman !

Jade descendit de son perchoir. Elle aurait volontiers défendu Jackie contre Tohru, mais quelqu'un avait encore plus besoin de son aide : Ésope !

Elle courut vers le bateau de Nivor et se glissa à bord.

Nivor et Boris se trouvaient dans la coquerie – la cuisine du bateau. Ésope, elle, gisait immobile à leurs pieds.

Boris épluchait des légumes et les jetait dans une énorme marmite qu'il avait mise à bouillir sur le feu.

Oh, non ! C'était là-dedans qu'ils voulaient faire cuire Ésope ! Jade se cacha dans un placard derrière la cuisinière pour les espionner.

— Boris, le lamantin que vous m'avez servi la semaine dernière était un régal, dit Nivor. Je meurs d'impatience de goûter votre recette de tortue. Je m'en lèche les babines ! J'attendrai l'heure du dîner dans mon bureau.

— Bien, patron.

Boris consulta le livre de cuisine posé sur le comptoir. Il ne lui manquait plus qu'une pincée de sel, un peu de poivre et… une grosse tortue.

Il se dirigea vers la cambuse, l'endroit où l'on conserve les provisions.

« C'est le moment ou jamais », pensa Jade. Elle sortit en silence de sa cachette et s'approcha de la tortue sur la pointe des pieds.

— Allez, viens, Ésope, chuchota-
t-elle. Sauvons-nous vite si tu ne veux
pas finir à la casserole.

Elle poussa la tortue de toutes ses
forces. Impossible de la faire avancer !

Jade entendit des pas. Boris revenait !

— Je vais déjà arrêter le gaz, dit-elle
en tournant le bouton.

Les flammes sous la marmite s'étei-
gnirent et Jade fila derechef dans le
placard.

Boris entra dans la coquerie et con-
templa bouche bée la cuisinière.

— C'est curieux ! L'eau devrait
bouillir maintenant. Comment le feu
s'est-il éteint ?

Il le ralluma et commença à émincer
des oignons.

— Oh ! J'ai oublié le plus important !

s'écria-t-il avant de disparaître à nouveau dans la cambuse.

Jade ressortit de son placard. Elle
devait se dépêcher. C'était sa dernière
chance de tirer Ésope de ce pétrin !

Elle essaya une fois encore de pousser la tortue.

— Allez, Ésope, viens !

Mais la tortue refusait toujours de
bouger.

Boris était de retour. Jade se dissi-
mula derrière le comptoir.

Soudain, elle retint un cri.

Boris brandissait un énorme couteau !

Chapitre 7

*B*oris se pencha sur la tortue, la lame levée.

« Pas question de le laisser couper Ésope en morceaux ! » pensa Jade.

— Arrêtez ! hurla-t-elle en surgissant devant lui.

Boris la fusilla du regard.

— Euh… s'il vous plaît, ajouta-t-elle avec un sourire forcé.

Boris l'attrapa par le bras et la traîna jusqu'au bureau de Nivor.

Ce dernier leva les yeux de son journal en les entendant entrer.

— Libérez Ésope, ignoble mangeur de tortues ! s'indigna Jade.

Nivor haussa un sourcil.

— Quelle enfant délicieuse ! Elle devrait être succulente avec une sauce à la crème.

— Quoi ! Lâchez-moi !

— Je plaisantais ! Boris, enfermez-la et finissez de préparer mon repas.

Pendant ce temps, Jackie se battait toujours avec Tohru sur le quai.

— Alors qui est chocolat, à présent ? ricana Tohru en abattant son poing sur Jackie.

Celui-ci l'évita de justesse. Il s'apprêta à lui décocher un coup de pied.

Flash ! Tohru disparut. Il réapparut dans le dos de Jackie et l'envoya rouler sur le sol.

Flash ! Il disparut à nouveau.

Une seconde plus tard, Jackie l'aperçut au milieu du quai. Il prenait la poudre d'escampette !

« Comment l'arrêter ? » se demanda Jackie. Il eut soudain une idée.

Il se releva comme un ressort, courut vers un baril d'huile, en arracha le couvercle et le renversa d'une poussée du genou. Le liquide se répandit sur les planches.

— Houlà !

Tohru dérapa, glissa jusqu'au bout du quai et percuta l'hydravion. Le talisman lui échappa des mains et rebondit par terre.

Tohru et l'hydravion coulèrent à pic !

Jackie s'empressa de ramasser le talisman.

« Maintenant, il est temps de sauver Ésope », se dit-il.

— Jade ?

Il regarda autour de lui. Mais Jade était introuvable.

Broummm ! Jackie vit alors le bateau de Carl Nivor qui s'éloignait vers le large.

Une horrible pensée lui traversa l'esprit. Et si jamais Jade avait voulu sauver Ésope toute seule ? Et si elle était sur le bateau de Carl Nivor ?

Il devait en avoir le cœur net. Il sauta à l'eau en serrant le talisman du lièvre de toutes ses forces. La pierre lança des éclairs. Et Jackie fendit les eaux plus vite qu'une torpille !

Il heurta le flanc du navire.

— Ouille !

Juste au-dessus de lui, le visage de Jade s'encadra dans un minuscule hublot.

— Jackie ! Je suis enfermée ! cria-t-elle.

Jackie la rejoignit instantanément.

— Wahou ! s'exclama Jade. Comment fais-tu pour te déplacer aussi vite ?

— C'est grâce à cette chose, répondit-il en montrant le talisman. L'heure a sonné de sauver la tortue. Je te l'avais bien dit : « Qui va lentement va sûrement. »

Au quartier général de la Main Noire, Valmont et Tohru – qui se séchait avec une serviette – affrontaient la colère de Shendu.

— Valmont, tes hommes étaient censés chercher des talismans, pas faire le commerce d'animaux, rugit la statue.

— Si vous nous aviez donné une petite avance, nous n'aurions pas été réduits à ce genre d'expédient, répondit Valmont.

Les yeux de Shendu rougeoyèrent d'une façon inquiétante.

Tchahhh! Des flammes jaillirent de sa bouche.

Valmont et Tohru n'eurent que le temps de s'écarter.

— Je ne savais pas que vous crachiez le feu ! s'étonna Tohru.

Valmont se prosterna aux pieds de la statue.

— Shendu, je vous jure de reprendre le talisman du lièvre à Jackie Chan !

— Je préfère mettre toutes les chances de mon côté, répondit l'esprit, les yeux étincelant de colère.

Un bataillon de ninjas surgit de l'obscurité. C'était l'Armée des ombres !

Chapitre 8

Jackie et Jade s'approchèrent à pas de loup de la coquerie. Boris aiguisa la lame une dernière fois et la leva au-dessus de la tortue.

— Ésope ! s'écria Jade.

Jackie pressa le talisman. *Flash !* Il se matérialisa devant Boris et lui arracha le couteau.

— La cuisine est fermée ! déclara-t-il. Pas de soupe de tortue aujourd'hui.

Chpong ! Il planta le couteau dans le mur.

— Qu-qui êtes-vous ? bégaya Boris.

Jackie ne répondit pas. Toujours grâce à sa vitesse supersonique, il maîtrisa Boris et l'enferma dans la cambuse. Puis il courut aider Jade.

— Allez, Ésope ! Allons-nous-en ! cria la fillette.

Mais Jackie et Jade eurent beau la pousser de toutes leurs forces, la tortue ne bougea pas d'un millimètre.

Soudain, Jackie entendit un étrange bruissement qu'il reconnut avec angoisse. L'Armée des ombres venait de monter à bord !

Deux secondes plus tard, Jackie et Jade se retrouvèrent au milieu d'un bataillon de ninjas.

— Il est temps de passer à la super vitesse de super lièvre, dit Jackie en serrant le talisman dans sa main.

Flash ! Il surgit devant un guerrier et l'envoya valser d'un coup de pied.

Pif ! Pof ! Paf ! Jackie parcourut la cuisine comme une tornade et anéantit trois autres combattants de l'ombre.

Ziiing ! Un ninja lui lança une étoile acérée. En un éclair, Jackie saisit une poêle et intercepta le trait mortel.

Jade observait le combat, cachée derrière le comptoir. Elle devait en profiter pour faire sortir Ésope. Mais comment ?

Elle balaya la pièce du regard et aperçut des carottes sur la table. « Eurêka ! se dit-elle. Les tortues adorent les carottes, si je ne me trompe. »

Elle en attrapa une botte, l'agita sous le nez de la tortue et recula d'un pas.

Ésope regarda les légumes et avança légèrement.

— Ouais ! jubila Jade. Ça marche !

Elle réussit ainsi à attirer Ésope dans la coursive.

— Bravo, Ésope, continue ! lui dit-elle doucement. Ouille, ouille, ouille !

Elle venait d'arriver, sans s'en apercevoir, devant la porte du bureau. Carl Nivor la dévisagea.

— Vous voulez une carotte ? proposa-t-elle avec un filet de voix.

— Je veux mon dîner ! rugit Nivor en se levant de son siège.

— Jackiiiiie !

Jade détala vers la cuisine et arriva au moment où un ninja décochait une flèche.

Jackie fit un bond de côté et le projectile se planta dans un bidon qu'il éventra. De l'huile d'olive se déversa aussitôt sur le sol.

— Aïe !

Jackie dérapa et lâcha le talisman qui roula aux pieds de Jade.

« Il faut à tout prix que je sorte Jackie et Ésope de là, songea-t-elle. Et les pouvoirs géants du talisman du lièvre vont m'aider. »

Elle ramassa la pierre, courut rejoindre la tortue, encastra le talisman dans sa carapace et sauta sur son dos.

— En avant !

Jade et Ésope remontèrent la coursive en trombe.

— Super tortue à la rescousse ! cria-t-elle.

Et plus rapides que le plus rapide des lièvres, Jade et Ésope se ruèrent dans la cuisine, happèrent Jackie au vol et repartirent.

57

— Tu es arrivée pile au bon moment, la félicita Jackie alors qu'ils atterrissaient sur le quai.

— J'ai eu comme l'impression que tu avais besoin d'aide. Et tu avais raison, ajouta Jade en souriant. Nous avons pu récupérer le talisman du lièvre et sauver la tortue.

— Je te l'avais bien dit, non ? « Qui va lentement va sûrement. »

Jackie vous écrit

Chers amis,

Dans *La carapace de tortue*, Jade pense que nous ne pouvons pas à la fois sauver Ésope et récupérer le talisman. Je lui cite alors un proverbe grec que je connais depuis très longtemps : « Qui va lentement va sûrement. »

Je crois toujours autant en cette devise. Quand j'étais étudiant, je n'avais qu'un rêve : devenir un acteur célèbre. Il m'a fallu cependant des années pour le réaliser. Et j'ai pu ainsi apprendre la valeur de la patience.

Tandis que je poursuivais mes études, j'ai joué dans de nombreux courts métrages. Je ne me souviens même plus du titre de certains ! Pourtant, je n'ai jamais perdu patience. Je me disais que c'était un excellent entraînement. J'étais convaincu que je progressais lentement mais sûrement, et que je réussirais à tourner dans un film. Et lorsque l'occasion s'est enfin présentée, j'étais prêt.

Quand on m'a proposé mon premier grand rôle, l'expérience acquise au fil des années m'a été fort précieuse. Mes efforts ont fini par payer car le film a eu un énorme succès.

Dorénavant, à chaque tournage, je veille à exécuter mes cascades avec un maximum de sécurité, en évitant toute précipitation. Ce n'est pas toujours facile. J'ai dû un jour tourner une centaine de fois la même scène avant de réussir ma cascade. Ça ne s'était jamais produit. Tout le monde me conseillait d'abandonner, mais je savais que j'y parviendrais, et j'avais raison.

Alors la prochaine fois que vous n'arriverez pas à atteindre rapidement votre objectif, pensez à ce vieux proverbe grec. Il suffit d'un peu de patience et de confiance en soi pour forcer les portes du succès !

Jackie Chan

Tu aimes

LES AVENTURES DE

JACKIE ⬡ CHAN

**Alors tourne vite la page
et découvre un extrait de**

Le pouvoir du dragon
(à paraître en octobre 2003)

[...]

Jackie explorait le cœur d'un volcan, à Hawaï. De la lave et du feu jaillissaient de partout. Des stalactites acérées pendaient de la voûte.

Mais Jackie n'avait pas peur. Il savait que le talisman du dragon n'était pas loin. Il essuya la sueur qui coulait de son front et entra dans une grotte. Il touchait au but.

Après un coup d'œil sur son plan, il étudia la paroi devant lui. Une pierre qui représentait un dragon, était encastrée dans le rocher, juste au-dessus de sa tête. Il se haussa sur la pointe des pieds et la retira délicatement.

Soudain, une chaîne s'enroula autour de son poignet et lui arracha la pierre des mains. Il se retourna d'un bond.

Finn, Ratso et Chow l'avaient suivi ! Les hommes de la Main Noire étaient entrés par une crevasse du plafond de la caverne.

— Bonjour le dragon et adieu Jackie Chan ! ricana Finn en agitant le talisman.

Ratso braqua un lance-roquettes dans la direction de Jackie et tira !

Oups ! Jackie esquiva le missile qui troua la roche derrière lui. De la lave en fusion jaillit de l'ouverture et se répandit dans la grotte.

Finn, Ratso et Chow repartaient déjà par une échelle de corde qui pendait de la voûte.

Jackie voulut s'y accrocher à son tour mais trop tard ! Chow la remonta sous son nez.

— Bon bain ! lui lança Finn en riant.

Jackie n'eut pas le temps de répondre. Déjà, la lave lui léchait les pieds.

— Ce n'est pas mon jour ! gémit-il.

Et il sauta de rocher en rocher jusqu'à la paroi qu'il escalada à toute vitesse.

Il atteignit la fissure dans la voûte et sortit du volcan.

— Ouf ! Je l'ai échappé belle !

Hors d'haleine, Jackie se laissa tomber par terre.

Il aperçut alors un hélicoptère qui s'éloignait. Finn, Ratso et Chow lui firent au revoir de la main. Le talisman du dragon lui échappait.

— Ce n'est vraiment pas mon jour ! soupira Jackie.

Au quartier général de la Main Noire, un homme au regard de glace et aux longs cheveux blonds faisait les cent pas. Il s'agissait de Valmont, le chef de l'organisation.

— Où peuvent bien être mes hommes ? murmura-t-il en jetant un coup d'œil furtif à l'immense statue de dragon devant lui.

La statue retenait l'esprit maléfique de Shendu, le véritable cerveau de la Main Noire. Si Valmont lui rapportait les douze talismans, l'esprit quitterait sa prison de pierre. Et la Main Noire dirigerait le monde.

Les yeux de Shendu rougeoyèrent.

— Valmont ! Où est le talisman du dragon ? gronda-t-il.

Valmont fronça les sourcils. Il en avait assez de se faire houspiller par Shendu.

— Mes hommes sont à sa recherche, Shendu, répondit-il.

— Ils ne trouveraient pas leur propre ombre ! siffla le dragon.

Valmont étouffa un grognement de fureur. Son regard se posa sur une sculpture en bronze. Il la saisit, pris de l'envie subite de fracasser la statue.

Aussitôt, six ninjas vêtus de noir jaillirent des ténèbres et entourèrent Shendu. C'était l'Armée des Ombres, sa garde personnelle.

— Calmez-vous, Valmont, l'avertit Shendu.

Valmont remit le lourd objet à sa place et sortit en trombe de la pièce. Il était hors de lui.

— Un jour, je me vengerai, grommela-t-il.

Il regagna son bureau où Finn, Ratso et Chow l'attendaient.

— Monsieur Valmont ! Visez un peu ça ! jubila Finn en agitant le talisman du dragon.

— Incroyable ! Vous avez réussi, pour une fois !

— Moi qui pensais vous faire plaisir, soupira Finn.

— Je suis fou de joie.

Mais Valmont n'avait aucune envie de donner le talisman à Shendu, et, de colère, il jeta la pierre à travers la pièce.

Le talisman heurta violemment le mur et commença à scintiller. Un jet de flammes fusa et perça un énorme trou dans le plafond !

Une pluie de débris retomba sur Finn et ses comparses qui coururent se mettre à l'abri.

Valmont ramassa le talisman. Il se fondit dans sa paume et toute sa main se mit à briller !

L'homme blond sourit.

— Le pouvoir du dragon est en moi !

Dans la même collection

Les Aventures de

JACKIE CHAN

Des livres plein les poches, POCKET *jeunesse* des histoires plein la tête

Composition : Francisco *Compo*
61290 Longny-au-Perche

Impression réalisée sur Presse Offset par

BRODARD & TAUPIN

GROUPE CPI

La Flèche (Sarthe), le 03-06-2003
N° d'impression : 18437

Dépôt légal : juin 2003

Imprimé en France

 12, avenue d'Italie • 75627 PARIS Cedex 13

Tél. : 01.44.16.05.00